L'école maternelle

Texte de Stéphanie Ledu
Illustrations de Delphine Vaufrey

MiLAN

Ce matin, c'est la **rentrée des classes**. En route pour l'école ! Jusqu'à 6 ans, on va à la **maternelle**.

ÉCOLE MATERNELLE

Rentrée des classes 9 septembre

ÉCOLE ÉLÉMENTAIRE

Que de monde dans la **cour** !
Les grands retrouvent leurs copains après
les vacances. Les tout-petits ont un peu peur :
c'est la première fois qu'ils vont à l'**école**...

« Bonjour ! » Dans sa classe, la **maîtresse** de la petite section accueille les enfants. Papa et Maman restent un moment, puis il faut leur faire un bisou et leur dire au revoir.

« Ne pleure pas ! dit
la maîtresse. Maman va
revenir très vite ! Allez,
on va visiter la classe ! »

9

Ici, c'est le **coin** des peluches.
Là, c'est la **bibliothèque**,
et là, le **tapis** pour jouer
aux voitures...

La dame qui aide la maîtresse appelle les enfants et leur montre le lapin nain. « C'est Grignote. Chaque jour, nous lui donnerons à manger ! »

À l'école, on **apprend** plein de choses.
« De quelle couleur sont ces objets ? »

Attention à bien tenir son crayon pour tracer
l'escargot... Ensuite, on le **colorie** sans dépasser !

13

Tout le monde a fini ? On **range** !
Puis on se rassemble pour
écouter la maîtresse.

Aujourd'hui, elle **raconte une histoire** d'ours. « Qui a
mangé dans mon grand bol ? dit-elle avec une grosse
voix. Mais oui, c'est Boucle d'or ! Tu avais deviné ? »

15

C'est l'heure de la **récréation**. Avant de sortir dans la cour, on va aux **toilettes**, puis on se lave les mains.

Regarde ! Chaque enfant a une **place**
pour son **manteau** et son **sac**, avec son prénom
ou un dessin facile à reconnaître.

Quand il fait beau, on joue dehors.
S'il pleut, on s'amuse sous le préau.

La maîtresse fait les gros yeux.
Dans la **cour**, c'est comme
en classe : on ne se tape pas.

Dans les **petites classes**,
certains ne vont à l'école
que le **matin**. L'après-midi,
les enfants rentrent
chez eux ou vont
chez leur nounou...

Les autres restent à la **cantine**.
Ici, on goûte plein de plats
différents. Hmm, c'est bon !

Chut ! Pas un bruit...
Après le déjeuner, les enfants
font la **sieste**.

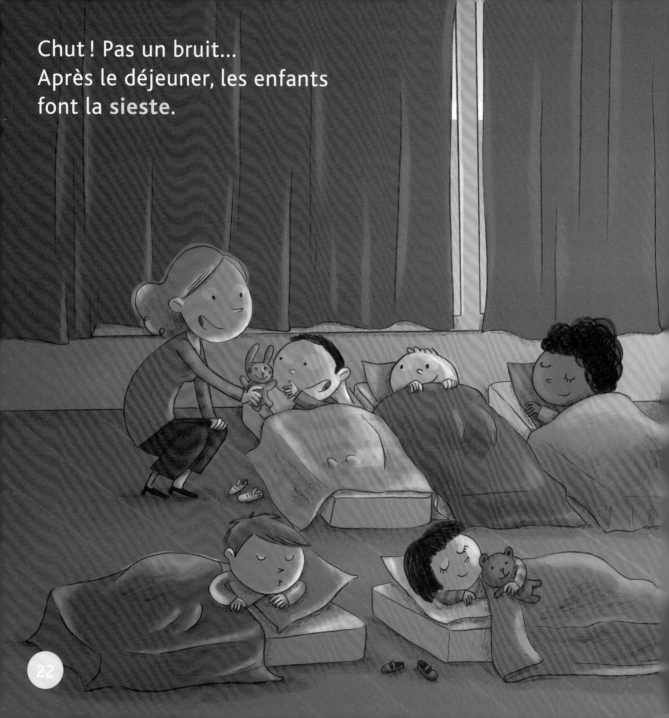

23

Ensuite, les enfants retournent au travail.
Cet après-midi, la classe des grands jardine ;
celle des moyens apprend une chanson.

Les petits font un **parcours** dans la salle de gym.
Il faut bien écouter les **consignes** : « Saute
dans les cerceaux, cours entre les plots, passe
à quatre pattes sous le banc... » Bravo !

25

ÉCOLE
MATERNELLE

26

Driiing... À quatre heures et demie,
la cloche sonne : c'est l'heure de la sortie.
Maman est là, avec un bon goûter !

Et la maîtresse ? Elle prépare dans sa classe les **activités** de demain. Puis elle affiche les **dessins** des enfants, pour leur faire une surprise. C'est très joli !

29

Découvre tous les titres
de la collection

Mes P'tits DOCS

Les châteaux forts
Le chocolat
Le cinéma
Le cirque
Les dinosaures
L'école maternelle
L'espace
La ferme

À table !
Au bureau
Chez le docteur
Les bateaux
Le bébé
Le bricolage
Les camions
Le chantier